中国风水第一城阆中古城，位于四川北部，嘉陵江中游。是人祖伏羲的孕育之地，城内有风水馆、张飞庙、贡院、天宫院、华光楼等著名景点。她与丽江古城、平遥古城、凤凰古城齐名。是中国颇具特色的旅游胜地。

阆苑仙境话生肖

摄影 潘明清

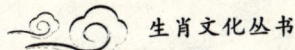
生肖文化丛书

生肖 你我她

SHENGXIAO NI WO TA　　张瀚文　罗修德　著

解读你的运程
解读我的团队
解读她的姻缘

三秦出版社

图书在版编目（CIP）数据

阆苑仙境话生肖／张继军，罗修德著．—西安：三秦出版社，2009.9

（生肖文化丛书）

ISBN 978-7-80736-695-9

Ⅰ．阆… Ⅱ．①张…②罗… Ⅲ．十二生肖–通俗读物 Ⅳ．K892.21-49

中国版本图书馆 CIP 数据核字（2009）第 168388 号

生肖文化丛书

生肖你我她——阆苑仙境话生肖

张继军　罗修德　著

出版发行	三秦出版社 新华书店经销
社　　址	西安市北大街 147 号
发行电话	（029）87205106
垂询电话	（0817）6225777
邮政编码	710003
印　　刷	蓝田立新印务有限公司
开　　本	720×1000　1/32
印　　张	36
字　　数	66 千字
版　　次	2009 年 12 月第 2 版 2009 年 12 月第 1 次印刷
印　　数	7001-12500 套
标准书号	ISBN 978-7-80736-695-9
单册定价	6.50 元
全套定价	78.00 元
网　　址	WWW.sqcbs.com

引 言

盛唐双奇袁天罡、李淳风晚年退隐于被称为人间仙境的四川阆中，常常一起谈风论水推测后世，并遗存有大量的天象和风水方面的书籍，尤以《推背图》久负盛名。这套小书是风水馆张瀚文馆长和罗修德风水大师根据这些遗存，经过多年的研究编写而成的。

阴历是世界上流传最久的历法。黄帝在位61年时，产生了一道十二宫历法的首轮称为甲子，每一甲子为期60年，由5个分期构成，每个分期12年，我们称为五子运。每一年都以一个"动物符"作标记，我们称之为生肖。关于十二生肖源于何时及其排列，有各种传说，至今难以细考。这类故事，或似开心解闷的笑谈，或似贬恶扬善的寓言,文学成分较浓。

古代也有这样的传说,玉皇大帝99岁寿辰时,王母娘娘在阆苑仙境为他举行盛大的宴会,天上人间各路神仙纷纷前来贺寿,最先到来的动物神是老鼠,接着是牛、虎、兔、龙、蛇、马、羊、猴、鸡、狗、猪。玉皇大帝就按这些动物到来的先后顺序分别封以不同的年号,配以不同的时辰,作为对它们的赏赐。从此,"鼠咬天开"后的小老鼠就幸运地坐上了十二生肖的头把交椅,新一轮的五子运也从鼠年开始了。

代表生肖的动物符分别与自然界中的木、火、土、金、水五行相对应。五行又按磁场的正负极分为两极,即中国人所谓的阴和阳。

在阴历中,每天分为12更,每种动物符代表1更,昼始于子夜11时。阴历中的动物符对人的影响也是十分强烈的。属相中的12种动物分为阴阳两类。鼠、虎、龙、马、猴、狗属阳性，牛、兔、蛇、羊、鸡、猪属阴性。

12种动物属相除了其表示年的五行外，还有其固定的五行与季节对应。猪、鼠、牛为冬天，方位北方，季节色为蓝色，五行属水；虎、兔、龙为春天，方位东方，季节色为绿色，五行属木；蛇、马、羊为夏天，方位南方，季节色为红色，五行属火；猴、鸡、狗为秋天，方位西方，季节色为黄色，五行属金。

古代圣贤说，土生万物，因为它是金、木、水、火四行合一的象征，便不能与十二属相中任何动物相对应。有些算命人士指土为本行，从而以牛代水、龙代木、羊代火、狗代金。

在没有现代方法观测气象的时代，中国人便利用了阴历来预测雨雪到来的季节。时至今日，人们仍然相信阴历的真实可靠性。人们会发现，如果某年五行标志为水，那么这一年很可能会发生决堤或洪灾，这取决于阴阳两极哪个的影响力更强些。

你也许会对春季的第一天感兴趣,皇历中谈到,这一天鸡生的蛋能立起来,请你不妨试一试。如果有缘,你会见证的。阴历中春季到来的这一天称为"立春",通常是阳历2月4日或5日。阴历节气是变化无常的,某些阴历年中也许会出现两次立春的情况,而某些阴历年根本不存在立春。中国的占卜者们称无立春之年为"盲年",因为人们"看"不到春季的第一天。因此,在这样的年份里是忌讳娶亲的。

在这本小书中,你会发现、知晓深藏于你内心和他人内心深处的秘密。这样,你不仅会了解自己,而且还会知道你个人与事业的关系,知晓生活中会发生的事情。

同时这本小书能帮助你从另外一个角度观察自己,观察你宜与周围哪些人组成最好的朋友或团队,观察宜与哪个属相的人与你结合的婚姻是幸福美满的。它会使你理解主宰你的"狗"为什么会偶尔让你表现出急躁，属马的人易变、不安静特点的由来，以及为什么属龙的朋友会盛气凌人、花钱讲排场，还有蛇年出生的人为什么会有多疑的性格。你也许会吃惊地发现，有些工匠善于修理各种各样的东西，是因为他们出生于使他们聪明智慧的猴年。另外你还会看到那些动作迟缓、自信甚至保守的银行家们多是出生在充满自信的牛年。

也许这本书能让你进入理解命运和造化的神秘之门，甚至可以帮你作出重大决定。人生路上你会倾听蛇的机敏语言、寻求羊的温柔与同情心、获得猴的聪明智慧、共享马的快乐、欣赏兔的善交能力、用狗的忠诚交朋友、依靠虎的热情点燃生命之火、以鼠的勇于进取去完成伟业……

愿《生肖你我她》成为你为人处世的指南、美满婚姻的处方、幸福生活的源泉。

春　夏　秋　冬

生肖\五子運	鼠	牛	虎	兔	龍	蛇	馬	羊	猴	雞	狗	豬
水運	甲子	乙丑	丙寅	丁卯	戊辰	己巳	庚午	辛未	壬申	癸酉	甲戌	乙亥
火運	丙子	丁丑	戊寅	己卯	庚辰	辛巳	壬午	癸未	甲申	乙酉	丙戌	丁亥
木運	戊子	己丑	庚寅	辛卯	壬辰	癸巳	甲午	乙未	丙申	丁酉	戊戌	己亥
金運	庚子	辛丑	壬寅	癸卯	甲辰	乙巳	丙午	丁未	戊申	己酉	庚戌	辛亥
土運	壬子	癸丑	甲寅	乙卯	丙辰	丁巳	戊午	己未	庚申	辛酉	壬戌	癸亥

目 录

丑 牛 …………………………………… 1

牛 年 …………………………………… 3

属牛人的性格 …………………………… 5

属牛的儿童 ……………………………… 11

属牛人的起名 …………………………… 14

属牛人的五种类型 ……………………… 16

属牛人与时辰的对应关系 ……………… 22

属牛人在其他生肖年中的运程 ………… 35

属牛人生月趣解 ………………………… 48

属牛人生日趣解 ………………………… 52

属牛人的姻缘 …………………………… 59

吉祥四季　平安一生 …………………… 84

阆中风水博物馆 ………………………… 86

丑 牛
（圆明园十二生肖铜兽首）

牛

我的力量能使人感到安定
推动生活不断向前
面对逆境的考验
我巍然屹立
我坚决果断又无懈可击
做正直的奴仆是我的追求
我承受着正义的重负
遵循着自然的法则
坚忍不拔地拉动着命运的车轮
我将这样谱写生活的凯歌
我是——牛

牛年

牛年我们会感到责任和压力的降临，如果不付出努力就不能获得成功。

这一年一定会有成果，但他的格言是："不劳无获"，"信心和团结比什么都重要"，时不我待，如果我们懒于播种，那么就不能埋怨没有收获。他会出现许多值得注意的东西，并且要做的事情也好像无穷无尽。我们付出的努力将会得到报酬，但是要牢记要按规律办事。这一年不适合走捷径。

虽然性情沉默的属牛人说起话来慢声细语，但在他们的手中却提着象征武力的大棒。

属牛人的性格

牛属相象征着通过艰苦的努力才能获得成功。这一年出生的人靠得住、安静、有条理。他是一个耐心的、不知疲倦的工作者。他虽然喜欢墨守成规，但还是公正、能够听取他人的意见。不过要改变他的观点很难，因为他很固执，有时很有偏见。

由于属牛人很稳重并靠得住，他会得到权威人士和领导者的信任。哪里有责任哪里就有他。但他应该小心谨慎，不要被胜利冲昏头脑。

他那不屈不挠的性格和逻辑性很强的头脑，被朴素整洁的外表所掩饰；聪明、灵巧被沉默寡言和矜持所掩盖。尽管他基本上属于内向型人，但他强有力的本性使他在机会来临之时会变成一个威严、雄辩的演说家。在混乱时刻，他那临危不惧、不怕惊吓的品质和天生的自信会恢复秩序。

牛年出生的人是有条不紊的，他坚持固定的模式，尊重传统观念，总是精确地按照人们所期望的去做，致使人们都可以预料到他的行动。一丝不苟的属牛人懂得只有按部就班地做事情，才能永远立于不败之地。他的头脑不是杂乱无章的，你决不会发现他靠运气和拖泥带水混日子。其他属相的人可能靠智慧和别人的指点来完成的事情，属牛人完全靠坚忍的意志和献身精神。他讲信用，一言既出驷马难追。

由于他是传统主义者，所以属牛的男性和女性之间求婚过程一定很长。他们的关系要经过很长时间才能发展到公开的地步，彼此才能表露出真实的感情。

如果你能同他结婚并完全信任他，他将会永远不使你失望，将踏实地伴你一生。他虽不会使你宝石成堆，皮裘成箱，但他会尽力把生

活安排得很舒适，从来不需要你帮忙。

如果你有好运气与一位属牛的女士结婚，你找到的肯定是位一本正经的姑娘。她会像母亲一样给你的衣服上浆；每天都不忘把你早餐桌上的报纸折放整齐；把水煮蛋烧得十分可口，连那"早安"的一吻也好像是一种责任。她整洁、守时，你婚后的生活将非常幸福。她将是你理想的妻子。

属牛人是家庭和公司里不可多得的人才。他不会感到什么危险，因为他的一生将会受到关怀。理智告诉他，一个价值很高的人是不用自己保护自己的。

白天出生的牛比安静的夜晚出生的牛更积极、更好斗。与此相仿，冬天出生的牛比夏天出生的牛生活更艰难、更贫困。

这个属相的本性是脚踏实地，从不感情用事。如果你想在打官司中胜利，就要利用理想和智慧。在一些事情上，如果你征求他的意见，他总是支持又可靠、又确切有把握的方案。属牛人很自信，不妥协，他蔑视别人的软弱。如果他能注意培养更多的幽默和热情，他将会更幸福。

属牛人具有天生的领导才能，他很会用纪律约束别人，而且过于严厉。他很可能是一个靠个人奋斗而获得成功的人。他的缺点在于呆板、斤斤计较、不易接近。他不圆滑，不知道关心别人，常表现出军人的风度，这使他不适合从事公共关系、外交和精细工作。然而他的诚实、不做作和坚实的原则性很受人尊敬、爱戴。他使所有下属变得很忠诚，因为没有他干不了的事。

如前所述，属牛人不愿意走捷径。他是安静的、有很强道德观和尊严的人，从不愿意凭借不公正的手段达到目的。

属牛人不喜欢半途而废。他小心而又诚心诚意地坚持把事情做到底。他那坚毅性格的基因会遗传给他的子孙后代，尽管他们不是同一个属相。

作为一家之父,他总是那样傲慢和武断,定下的规矩不允许人反对。他把家庭生活、工作和国家利益等都联系在一起,喜欢长期、稳定的投资。由于生性严肃,他不是一个赌徒,冒险的事情会使他烦恼不安,因为这些因素使他的安全受到威胁。

在十二属相中,绚丽多彩的鸡会给牛有秩序的生活带来阳光,并成为他的极好伙伴。双方喜欢高效率,并具有很强的献身精神。这些共同的品德使他们结合起来能够与牛和谐相处。能够与牛和谐相处的属相还有充满深情的鼠或聪明的蛇,两者都会深深地关心可靠的牛。龙、兔、牛、马、猪、猴和牛比较融洽,但程度稍差。属狗的人觉得他太乏味,并批评他没有幽默感。牛本身不会介意任性的羊或爱闹事的虎陪伴着他,这两种人会怨恨牛对他们的管辖。

属牛人所享有的成功完全是靠他自己的力量换来的,不屈不挠的属牛人将通过自己的努力以一个胜利者的姿态出现。

属牛的儿童

他是个不爱哭叫、意志异常坚韧的孩子，能够经受各种困难，是个粗鲁而朴实的个人英雄主义者。他讲话较晚并喜欢用拳头解决问题。由于固执和不退让，他能闹得天翻地覆。当他全神贯注地做一件事时，不会注意每个细节。对他有用的东西他能坚持到底，决不退让。

　　他很遵守纪律，实际上他给你也订计划。他会坚持每一天在同一时间开饭，从不挑食。他在有规律的环境下茁壮成长。属牛的女孩喜欢有秩序和整洁的家庭。

　　属牛的孩子喜欢在母亲或老师不在的时候负起责任，并且对别人的过错严厉而不同情。他通常会给你提出一个公正的意见，因为他不随波逐流，不被奉承所欺骗。与其用贿赂或恳求的方式要他做某事，不如简单地告诉他"这是命令！"更为有效。他有争论的本性，但在他服从你之前你必须得到他的尊重。

他虽然有直率、坚强和忠诚的外表，但他在现实生活中极其天真，在这方面需要得到保护。他非常需要辨别力强的家长、老师和家中其他成员的支持和帮助。

在学校里，他可能是模范学生，因为他不是违反校纪的人。他对生活严肃、认真的态度，使他尽量避免开玩笑与扮小丑。应当鼓励他表达表达幽默感。

总之，他是可靠的、负责的。他得到家长的尊敬，也受到同龄人的爱戴。属牛的孩子既是一个极好的领导者，又是一个杰出的追随者，他是两方面杰出的榜样，并能很好地履行其职责。

属牛人的起名

取名宜有"氵"字,清爽享福,上下敦睦;有"亻""木"字,义利分明,操守廉正;有"月"字,孤独不顺;有"火"字,不利健康;有"田""车""马"字,劳苦一生;有"石""山"字,易孤独,不利家庭,晚婚得子大吉;有"血""糸""刀""力""几"字,多不顺,忌车怕水。

属牛的人的五种类型

金牛——1961年　2021年　2081年

这种类型的人将与其他人发生很强的意识冲突，甚至对有不同看法的上级也是如此。他能很清楚地表达自己的思想，强烈并且坚决。他从不因为表达不清而被人指责，他会不惜代价地固执己见。他在关键时刻会变得善于雄辩。当突然需要他加速工作时，他会把精力用到极点。

他没有温柔的性格，但有学者的风度，是一个古典音乐及艺术的热爱者。他有很强的责任感，能够说话算数。这对他或她来说并不很困难，因为他们讲话很少。

有时，他倾向于使用暴力，并能孤军作战。当被成功的希望迷惑的时候，将会变成一个攻克目标的狂热者。由于顽固和骄傲，他不知道还有"失败"二字。他的耐力很强，不太需要休息或娱乐。如果需要的话，他会夜以继日地工作，当他达不到目的时，会变得心胸狭窄，并极想报复。

水牛——1913年 1973年 2033年

这是一个现实多于理想的人，耐心、实际、野心勃勃、冷酷无情。他有机警的头脑和敏锐的价值感。他能使物尽其用，人尽其才，并能作出很多卓著的贡献，因为他知道怎样等待时机和组织活动。

这种人更有理想、更灵活并善于纳谏。尽管他不赞成变动或将非传统方式引入他的生活，但他不像其他属牛人那样固执。如果你让他讲空话，会使他大为不快，他最关心的是改变他的地位，使之变得更安全，在他的前进道路上，将高举规则和秩序的大旗。

假如他不那么严厉，不对其他人要求过高的话，那么他将通过与他人一样努力工作而提高自己的地位，并毫无困难地掌握着自己的航程。他能同时集中于几个目标，并能以他那有条不紊的冷静、耐力和决心使反对派自行消亡。

木牛——1925 年　1985 年　2045 年

这种人不太严厉。如果说他不能体谅其他人的感情的话,至少他能意识到自己的感情。他比其他属牛人反映要迅速。他在社交方面可能要仁慈一点,人们会钦佩他的正直和道德。他公正、无偏见,尽管他的属相把他拉向保守一边。他熟悉某一种固定不变的社会制度,在这种社会制度中工作,他会比其他人更能表现自己。

如果给他机会和动力,他会接受新的进步观点。他不太固执,并能承认多数人的法则。

如果他能建立并发展可观的产业的话,那么他将能得到很高的地位,能够积累财富,并博得声望,他有很大的干劲,并能最大限度地利用他的潜力。他懂得和平共处的重要性,会致力于增加订货。他能与人合作,可能是个很有合作头脑的人。

火牛——1937年　1997年　2057年

　　这是一个易激动的人物。权威人物对他有吸引力。他有天生的暴脾气和好控制别人的本性，比其他属牛人更有力、更自信（但安稳的金牛除外）。他是实利主义者，并会有优越感，他会削减那些对他没有用的人或物，因为他从不去考虑他们真实的价值，他很客观并直言不讳，对那些敢于反对他的人十分严厉。

　　他可能会一反勤奋的常态而动用武力，甚至于向他的对手全面开战，他趋向于过高地估价自己的能力，并可能缺乏耐心或很少去考虑其他人的感情。他基本上是一个诚实、公正廉明、尽量避免利用别人的人。他是家中的好劳力，因为他很乐于保护他所爱的人。

土牛——1949年 2009年 2069年

这种人的耐力强,创造力稍差,他总是忠于职守。他知道自己的局限性,能在相当年轻的时候就认识到自己的缺陷,他会为所从事的事业奋斗。他很勤劳、实际,并准备为成功付出代价,喜欢实际的、有价值的工作。他牢记安全、稳定这两个准则,并能使他的工作卓越有效。

虽然他的本能可能不太敏感或充满激情,但他的爱情却诚实而持久,他对所爱的人忠贞不渝。

他一直都在为不断提高地位而奋斗,并能承受困难和痛苦毫无怨言。由于有目标、有决心,这种人会勇往直前,很难回心转意,因为他从不退步,他也许是这五种人中反应最慢的一种,但也是最可靠的一种人。

属牛人与时辰的对应关系

子时出生（鼠时辰）
——午夜11时至凌晨1时

这是一种比较有情感的人。

鼠的迷人之处软化了他，

他会变得更加柔顺，

更爱说话。

他很痛惜被损坏的东西，

并很在乎他所有的财物。

丑时出生（牛时辰）

——凌晨1时至3时

优秀男人的类型。

遇事很有主见且很正确，

完全可以按照自己的思路去做。

有天赋的意志力和献身精神。

他的幽默感和想象力很差。

寅时出生（虎时辰）
——凌晨 3 时至 5 时

他是个性格活泼、
有吸引力的人，
他从不感到害羞或用细声慢语说话，
但要当心他的坏脾气。

卯时出生（兔时辰）
——早晨 5 时至 7 时

很难使这种人改变看法，
他做事较为细心，
很注重外交手段，
他很斯文。
善于收集艺术和古玩。
但不喜欢工作紧张。

辰时出生（龙时辰）

——早晨7时至9时

他的能量很大，

足以能完成他的野心，

遗憾的是他太固执己见，

否则，

他会取得更大成就。

巳时出生（蛇时辰）
——上午9时至11时

这是由两个守口如瓶属相组成的，

他不接受别人的劝告。

他是个爱猜测而孤僻的家伙。

午时出生（马时辰）
——上午11时至下午1时

这是一个比较快乐的人。

他像马那样变化无常，

甚至喜欢跳舞。

然而，

易变的马可能会使他偏离目标。

你我她

未时出生（羊时辰）

——下午1时至3时

这是一个喜欢艺术的人。

性格温柔，

很宽厚，

接受能力很强。

他具有商人头脑，

有赚钱的意识。

申时出生（猴时辰）

——下午 3 时至 5 时

这是一个机警、

快活的人。

他不会对自己的问题过于认真。

受猴属相的影响，

他总是采取秘密对策。

酉时出生（鸡时辰）

——下午 5 时至 7 时

精干、有责任感，

采取行动前他会进行许多论证。

他会使用丰富多彩的语言技能

代替只用武力解决问题的方式。

他是一个介于武士和说教者之间的人。

戌时出生（狗时辰）
——晚7时至9时

严厉的说教者。

如果不被狗的平静性格所影响，

那么他完全是一个令人厌烦的人。

这时出生的人不太偏见，

能听取意见，

运气不错。

亥时出生（猪时辰）

——晚9时至11时

他是充满深情的人。

虽然保守但仍需要认真对付。

他缺乏必要的信心，

常常逼迫别人。

他那勤勉的品质与猪的好吃懒做正好相配。

属牛人在其他生肖年中的运程

鼠　年

对他来说是平稳的、繁荣的一年。

他在工作中很走运。

先前的麻烦会逐渐消失。

他的工作得到了认可，

可能接受新的重要任务。

家里将有喜庆之事。

牛　年

尽管他的计划可能在这一年被推迟，
并且会有意想不到的困难出现，
但总的还是不错的。
这一年结婚或结交新朋友都很吉利。
在他家里会有婴儿降生，
或者他会花更多的时间与孩子们在一起。
这一年会有些不情愿的外出或说客上门，
但不会有什么大问题。

虎　年

困难的一年。

属牛人会受到各方面的阻碍，

但他能够征服困难。

在还看不到事情的结果时，

要有耐心不要失望。

这是属牛人重新估计自己所处地位的时候，

这一年不适宜进行冒险和采取激烈措施。

兔 年

对属牛人来说是较好的一年,

能够解决一些问题,

但还有许多事不能了结。

有些投资可能会徒劳或不能收回欠款。

他可能会由于亲近人的离去而悲伤,

但不会影响他的健康。

进步是稳定的。

龙　年

适中的一年。

因为许多变化或意想不到的麻烦使他很忙碌。

计划会实现但不能那么快。

尽管能结识一些能够帮助他并很有影响的人物，

但还要靠自己不懈的努力。

蛇 年

好机会即将来到,

他会觉得赚钱很容易,

一切都在他力所能及的范围内。

消极的一面是他或许受一些人的误解,

或发现有朋友背叛他,

如果能进行公开谈判,

一切问题都会得到解决。

马 年

不安定的一年。

爱情不乐观、金钱的事使他烦恼,

并且可能会有财务上的挫折,

危险的阴影笼罩着他。

这一年会疾病缠身很难康复,

以至不能兑现他的许诺。

最黑暗的时刻会在秋天过去,

此时应做巩固和保护自己的打算。

羊　年

尽管收到好消息会使他信心增加，
但这年还是不会有大进展。
没有疾病或大争吵。
他的家庭相对平和，
然而他不应过分乐观，
因为可能会丢掉他认为已经
得到的钱财和其他一些东西。

猴　年

这一年是幸运和繁荣的，
他会受到重要人物的欢迎或宽待。
家里有好消息。
新工作或新提升在等待着他。
新的冒险或合作关系就在面前。

鸡 年

尽管他可能在生活中经历一个奇怪的
小插曲(当然,也未必会发生)
这一年对属牛人来说还是适中的、快乐的,
他会有成就。
但要警惕收不回钱财或被朋友欺骗。

狗 年

尽管这一年的问题似乎较多,
但实际上没有那么严重,
他会有一个比较好的年景,
因为那些危险情况不再发生,
道路上的障碍和敌对者都被清除了。
他也许会暂时离开家和所爱的人。

猪　年

繁忙的一年在等待着他。
认真的努力工作并不能换来什么结果。
但也不必因此而烦恼,
他的努力为以后的发展奠定了基础。
这一年是各种因素混杂的一年。
家里一些麻烦和工作中的摩擦也许会打搅他。
总的来说他会生活得很愉快,
因为使他烦恼的都是一些小问题。

属牛人生月趣解

生于正月

富有艺术细胞，有创作能力和刻苦耐劳的精神，善于营造环境，个性乐观，待人宽厚，应该把精力全部放在事业上。

生于二月

生性乐观而富有幻想，在他心目中，世界没有什么不好的，对任何人不怀丝毫恶意，容易建立友谊，因此也往往被人误解，而自认倒霉。

生于三月

是一个友善固执的人，固然品性有点不近人情，但并无恶意，只是主观强一点而已。其优点是：为朋友两肋插刀，宜找长辈咨询请教。运则似是而非，财运不宜憧憬。健康颇佳。

生于四月

东奔西走，劳苦不堪，多受人指挥。财力毫无，精神沮丧，进退两难，命运不祥，有乱离之事，寂寞悲哀之象。

生于五月

一生好动，故多外出旅行或多有做生意的机会。喜欢对名誉的追求，所以社交圈里总少不了他。其人性善良，奉公守法，是成功的人。

生于六月

是有兴趣的人，也有好的嗜好：喜欢收集邮票、钱币或古画，其性格喜欢恬静。不宜竞争的是工商界，最宜做艺术行。

生于七月

外表温文尔雅，凡事充满了热情，所以与此种人接触，都被此人所感化，有很大的说服能力。是外勤、公共关系的标准人才，颇有神气。

生于八月

有广阔的社会关系，不论哪个阶层都愿与交往，并无半点架子，不论富贵贫困，一视同仁。家庭环境较特殊，因此大多会与外人拉上关系。

生于九月

脾气暴躁,表面上也是不容易相处的人,但他根本上是善良的,可是往往被朋友误解,所以在社会上似觉不顺境,家庭是他的融洽之处。

生于十月

个性保守,性情不太稳定,不易有良好的知心朋友。工作环境不太顺利,运气欠佳,幸而有良好的家庭。

生于十一月

十分喜欢与人合作,意志坚定。与朋友长期合作不会有不愉快的事情发生。但自视清高,总不将别人放在眼里,有可能因骄傲而失败。夫妻能和谐共处,好晚福。

生于十二月

这种人的性格,有独特思想,深厚的宗教信仰,也很喜欢研究哲理,对物质的追求淡薄,名誉也满不在乎。是宗教中成名的人物。

属牛人 生日趣解

生于初一

天生聪明伶俐，忠诚待人，家庭圆满。离乡发展功成，财合四海，初年辛苦，晚年大兴。女命多劳，持家贤能安乐之命。

生于初二

男女命运上好，公正清廉，受人尊敬。中年平顺，晚年无忧。多行善，可后利长存，子孙多见。属于慈悲心肠，长寿也。

生于初三

是个聪明伶俐，上进心强，才华出众之命。初显平常，中年无忧郁，多行善，可后利长存，子孙多见，属于慈悲心肠，长寿也。

生于初四

性格多变，浮沉不定。骨肉和合，兄弟互助，女胜男命，福禄双有，丰衣食足。长寿之命。

生于初五

意志不坚，多学少成，初显平平，末显有起色转兴，贵人相助发达有成。女士贤惠善良，助夫益子，持家有方。福多寿长之命。

生于初六

男女天性为人灵敏，谋事准，兄弟合顺，

中年转运顺丰，晚年安稳，得福在女，无亏之命。

生于初七

多礼好学，才智出众，中年运至，家成业就，人顺有合，在家平常，出外逢贵，财利可获，夫妻和顺，家庭圆满。

生于初八

夫妻和合，若生时欠吉，恐有不能白头偕老之数，初年不为平顺，三十岁后幸遇贵人相助，有发达兴旺之运。占荣华之命。

生于初九

男女皆为不错，天生善良，与人和睦，人缘不错。一步运不佳，六亲难靠，后半生如何，看生时吉数，男士清奇，女士聪明秀美。

生于初十

男女皆吉，事业发达。初年平常，中年即到财禄享，男人顾家，女人旺夫。晚景属荣华之命。

生于十一

智力有余，处事果断敢作敢为。运到偏迟，中年苦，虽有横财，不属富贵。属比上不足比下有余之命。

生于十二

男女性情温和，能吃苦节俭，少年不顺，可在第三步大运开始转入兴旺，福禄双至，家庭兴旺。男女皆属享福之命。

生于十三

男女皆占吉，天生有福有禄，受人敬爱，一生贵人多，小人少，成功有望。家业好，子女双全，衣食足用。是富贵之命。

生于十四

性格忠厚，好静、沉稳，相貌清奇，一表人才。女士聪明清秀，同属初显平平，中年后运开，事事顺调。是厚福之命。

生于十五

夫妻姻缘不错，但子妇刑克，好争好胜，费力操心，宜离故土他乡发展。平常之命。

生于十六

聪明伶俐，技艺双有，读书出众，必有大成，但财产难得，身闲心苦，有福偏迟。男女皆属先苦后甜之命。

生于十七

智力稍欠，忍耐心强，一三运期平平，有灾在数，六亲无依，中年后发，大有良机。占在发达之命格。

生于十八

智能极佳，处事机巧，自作聪明，不顾他人，性情刚烈，普通之命，女命胜男命，心好慈悲。是多寿之命。

生于十九

有优有劣，有印有财，名利双得，恐有暗病，桃花在格，情缘重重有误前程。女命胜男命，心好慈悲。是多寿之命。

生于二十

格局一般，半年多劳，男人宜离乡谋富，亲朋借助无力，有刑克上下之数，外出多财，大幸在即。

生于二十一

女士占上平之格，衣食不缺，男得好妻女配良夫，喜好投机，多才多艺。未竟发达之命。

生于二十二

聪明灵秀，忠厚信义，做事公正不偏，牺牲自己、顾及他人，得人一尺还人一丈，前程运升。晚年无忧之命。

生于二十三

属做事不专,职业常换,住所常移,多变多动,好生事端。女命胜男命,运开有感于妻,衣食不缺。荣华富贵之命。

生于二十四

生时占吉格,但得财淡薄,操心费力,属平淡一生。

生于二十五

男生此日有属贤妻之数,得益非浅,经营有道,事业发达;女生此日,善乐好施,人缘极佳,巧料家庭助夫益子。晚年无忧之命。

生于二十六

男女性情直爽,活泼乐观,做事轻松,公正不偏,牺牲自己顾他人,前程运升。晚年无忧之命。

生于二十七

男忠厚可嘉,恳做恳劳,重守信义,豪爽慷慨,名利两随;此日生女,聪明秀美,吉字在格,一生乐多忧少,无忧之命。

生于二十八

男士先苦后吉,前运不佳,运薄多病,独立生计,亲朋难靠;女士稍强,早婚不宜,晚婚平稳，子女不孤，无灾无难，后福不薄。荣贵之命。

生于二十九

命占多福，职忙业乱，居所常换，出外发展，财在他乡，努力奋斗，前程有望。女占旺相，勤俭贤淑，福晚。属成功之命。

生于三十

为人仁和，慈悲风度，一生公私两全，受人敬慕。借贵发达，先苦后甜。女士勤劳节俭，子女不孤，无灾无难，后福不薄。富贵之命。

属牛人的姻缘

古人认为，寰形相克图（下图）两端直接对应的属相是排斥的。

天　　　　　　　　　　地

和　　　　　　　　　　谐

牛+鼠

他是值得信赖的,总是充足地供应家里的物质需要。她对他钟情而溺爱着,总用他所喜欢的方式安排家里的一切。这是非常满足、相互间能给予酬答的一对。他强健,沉默寡言,喜欢被善良的妻子所钦佩,让她替他担心,而她满足于他提供给她的安全感。两人都没有什么可抱怨的。

牛+牛

两个人都很勤奋,严肃到阴沉的程度,他们都不够灵活,不会从计划好的工作中获得一丝一毫的喘气,他们对人缄默而有礼,是非常可靠的人、意志坚强。他们的婚姻可能因双方都呈现出太多的消极面而告结束。

牛+虎

他对成功和成就充满兴趣,她却只对自己感兴趣。他是有实践精神、有组织能力的,她认为他太有远见、太倔强,她感到自己受到忽略时总爱发脾气,而他也控制不住自己的怒气,他对她那种对任何事情都漠不关心的态度感到无法容忍。他们没有共同之处,无法互相理解,有节制的他会因为她的无自制力和随意表露感情而震怒,而她,则被他的冷漠无情所挫伤。她需要的是一个热情的伴侣。

牛+兔

兔太太会感到牛丈夫的沉稳、实际而可信赖。而牛丈夫会发现兔太太喜欢交际,是富有同情心的温柔女人。他是严格的,会因她的没有条理而指责她,她因此会变得内向和过于敏感,但是为相互了解而做出努力还是非常值得的,如果他们能做一些调整的话,他们的婚姻将是令人满意的。

牛+龙

不够和睦。对于开拓型的、精力充沛的、热情而容易激动的龙夫人来说,牛丈夫太迟缓、太深思熟虑和有条不紊了,他能够使她更坚强些,但她将仍然时不时地做出轻率、大胆的事,她的乐观情趣可能会使他活跃一些,或使他更加发奋,不过,他是冷静而孤独的人,她却需要热闹和多变的生活,如果他们能够互相尊重和相互称赞的话,进行调整关系的努力还是可能的。

牛+蛇

　　幸福美满，白头偕老的一对。牛丈夫要求高标准的成功，蛇太太有着同样的野心和对实利的需要。她赏识他提供给她的舒适和奢华，他喜欢她的彬彬有礼和体面，以及非常善于理财。他们能够从对方的关系中幸福地获得满足。

牛+马

不太理想,她无忧无虑、无拘无束,他勤勤恳恳,脚踏实地。他想要一个有条有理愉快的家,她却不安静,忙得不能待在一个地方。她需要自由和娱乐,而他不理解她的反复无常,她也缺乏对他的关注。想使双方协调起来是颇为艰难的。

牛+羊

她能够为他营造一个舒适的家,而他是她的保护者。不过他是兢兢业业、不屈不挠的,她则多愁善感且任性。他积蓄,她却挥霍。他强健而果断,她柔弱而不可靠,她喜欢受人庇护,牛丈夫却不体贴,他对别人以及羊太太有良好的素养和自我克制能力方面的期望过高,因而常常变得抑郁寡欢,两人间会出现粗暴的争吵。

牛+猴

他们都自信,都知道自己想要的是什么,但并没有想对方之所想。他朴实、认真、注重实际,她是妩媚的、复杂的、自私自利的。他们都向往获得成功和金钱,但对于获得成功的途径、花钱的方式等问题看法却截然不同。猴太太擅长社交,多才多艺,独立不羁,不像牛丈夫那样有稳定感。当他得不到她的尊重和赞许时,他会变得专横无礼,双方难以和谐相处。

牛+鸡

　　幸福美满的一对。他们在工作上是勤奋努力的。他自尊、勇于负责任,能干正直的她肯定会得到他的赞许。他们都热衷于从事组织工作,都能接受批评,不会认为自己受到伤害而神经过敏。无论对工作和家庭事务,他们都能够客观地、井井有条地处理好,他们喜欢享受高雅的生活,在自己从事的专业上能力过人。她对他的严格并不介意,因为她自己也是很注意细节的。他能积极地听取她的批评,并不感到有损面子。

牛+狗

他追求财富和声誉,讨厌依赖他人。她大方、谦逊,是个忠实的妻子。但是他对于亲切的、爱说话的她的态度可能过于专制,当他冷酷地将她推开时,她将难以容忍,会直言不讳地对他发怒。她发现他太死板、太冷漠无情,不合她的口味,而他也受不了她那过分的好奇心和嘲讽式的口吻,如果不是这样的话他们还是能合得来的。

牛+猪

他们都有极好的性格，而且甚为相合。他严肃、举止得体，能为自己确立成功的方向。她耐心、热忱、富于自我牺牲精神。他勤奋地工作，而她以充分的信赖支持和鼓励他，她比他的趣味更丰富、更享受感官欢乐、更坦率。她也理解他的需要，有她在一起，他能少一些沉默和倔强。

鼠+牛

　　幸福的婚配。充满深情的鼠丈夫对常为安全问题担心的牛太太颇具吸引力。他能很好地赡养家庭。在他的账目中养家是主要的，必不可少的。而她本分、能干、可信赖。她热切地关注他的一切需要，为他把家庭料理得井井有条。在这种安排下，他们无疑会互相称赞。虽然他们已有很好的分工，但都愿意做更多的事。感情外露而洋溢的鼠丈夫能使牛太太变得更顺从，更少一些倔强。

你我

虎+牛

性格相抵触的一对。他是个不信教的实践主义者,大胆的挑衅者、反叛者。她却遵从习俗,尊重权威,是个守旧的人。他们都倔强,要让他们找到共同的东西来协调对生活的不同看法,实在是太困难了。

兔+牛

兔丈夫优雅睿智,易受感动,肯于接受新思想。牛太太则缺乏情感,迟钝麻木,理解不了他文雅的特性。他聪明、放任、自私,而她实际、守规矩、训练有素。如果他们真心相爱,能够共同生活的话,他们能互相补充对方的不足。

龙+牛

他俩认真执拗的性格，是个既可促成婚姻也能破坏婚姻的因素。他工作是为得到夸奖与人们的承认，可她却不能不顾及物质利益。如果他的努力并未得到相应的钱财，她就会变得苛刻、毫无同情心。他容易激动、性格外向，她则遵从世俗并很谨慎。两人若要共同生活，都需做出很大妥协，但如果这种努力获得成功的话，他们将会因对方而感到非常骄傲，并甘愿为对方献身。

蛇+牛

他们都谨小慎微,有选择能力,他们选择了相互结合是很好的决定。他们都脚踏实地,有自尊心,有共同的信仰。他顽强,工于心计,她受过良好的训练,做事很有条理,能够保护家庭的安宁。他们能在遭遇危险时互相依靠,他从沉默寡言的牛太太那里感受到信赖,而她能靠他的坚韧来抵御一切不幸,他们能一起期待美好的生活。

马+牛

前景并不美妙。对于有条理、讲规矩的虔诚的牛夫人来说，马丈夫太反复无常、神经紧张、太外向。他常常轻易就激动起来，她却太冷静，无助于调节他的情绪。他尊敬她，但不喜欢她的刻板和含蓄。而他的无忧无虑和变幻无常的心境使她感到无所依靠。他发现她没有幽默感，很难共事或者玩乐，而对她来说，则应该有个更有训练的、更负责任的丈夫。两人的共同点实在太少了。

羊+牛

羊先生是悠然自得的艺术型人。他高兴时会活得津津有味。牛太太持家很尽责,对家里人照顾得很好,但她颇不愿满足他那些不切实际的放纵和要求。他需要在爱和赞许之下才能发挥他的长处。她期望一切有条不紊,常会对他发布命令。她坚定不移,毫不妥协,认定她要对时间和精力作最佳使用。他是艺术型的,需要等待最佳状态降临到他头上。他对别人的管制和摆布也一味抵触。双方需要作出巨变才能够和平共处。

猴+牛

　　双方都太自私倔强了，难于怡然相处。他很外向，是个天生的演员，她则是内向、含蓄的人。无疑两人都有很出色的优点，但可能没有机会表现出来。他本身有种优越感，认为她沉闷、没有想象力。她有时很粗心，当指出他的缺陷时也不愿委婉其辞。

鸡+牛

持久而出色的婚配。他开朗、坦白、勇敢,能弥补她的保守拘泥。他勤勉、严肃,很合牛太太喜欢有尊严的口味。他的清醒稳定对坚决果敢的牛太太肯定有号召力。与他明朗乐观的性格相呼应,牛太太将鞭策自己取得进一步的成就,两人中她可能更慎重、更脚踏实地。

狗+牛

两人都忠诚老实，严肃对待他们的婚姻，并富有责任感，他们的问题主要是由于妻子的压抑状态和固执的脾气。丈夫则喜欢无拘无束地发表自己的见解，而这对于地位平等、无幽默感、气量狭小的妻子就显得冗长乏味。此外，妻子常对丈夫的过于直率的说话方式不能接受以至怨恨，不能长时间忍让。他们都尽量避免琐事引起的不快，但有时也会由于内疚而自责，他们的关系需要建立在诸多理解和妥协的基础上。

猪+牛

是中意的一对儿,但未必是非常美满的婚姻,他们不同的需要和习惯可酿成潜在的矛盾。通常,丈夫是温和、大度、明智的,但这位女士却更多地关注丈夫对她各方面的需要。此外,由于妻子总爱努力工作,自我克制,常使丈夫烦恼不安。他快活、长于社交、思想开放,为保证业余生活丰富多彩而辛勤操持着,她严肃、庄重、有条不紊,能在工作中得到满足。

【生于春】吉祥方位：西方、西北方
吉祥颜色：白色、灰色、黄色
吉祥饰品：铜锣、金丝眼镜、金表
吉祥密码：酉、申、巳、丑、庚、辛
吉祥行业：从事与"金"相关的行业

【生于夏】吉祥方位：北方、东北方
吉祥颜色：蓝色、黑色、白色
吉祥饰品：孔子铜像、金链、蓝田玉、金笔
吉祥密码：子、丑、申、辰、亥
吉祥行业：从事与"水"相关的行业

【生于秋】吉祥方位：东方、东南方
吉祥颜色：绿色、黑色
吉祥饰品：木鱼、木佛珠、绿宝石、灵芝、竹板平安、人参王
吉祥密码：甲、乙、寅、卯、亥
吉祥行业：从事与"木"相关的行业

【生于冬】吉祥方位：南方、西南方
吉祥颜色：红色、紫色、黄色
吉祥饰品：红木用品、打火机、太阳画、牡丹花、玩具猫、骏马图
吉祥密码：午、寅、戌、巳、未
吉祥行业：从事与"火"相关的行业

风水博物馆

阆中风水博物馆是目前国内唯一以建筑风水为主题的人文旅游景点,分为博物、祭祀、吉祥物、风水讲堂、天一茶舍、三才书吧、青年旅舍等七个功能区。风水馆以易·卜为主脉,诠释神秘的中国风水。

千年风水古城,玄机尽藏馆中。